고수

고수

10

문정후 · 류기운

차례

으윽!

크큭!

이이이…

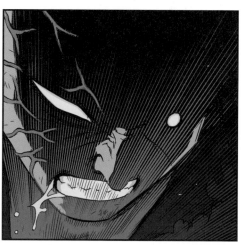

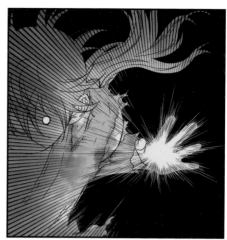

…금단의 주술
환혼귀진대법….

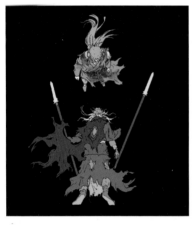

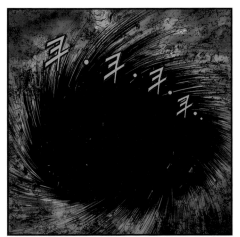

그렇다면…,

저건 뭐야.

제운강의
혼신의 공격을
집어삼키고도
주화입마에
빠지기는커녕,

…이제 겨우
그 늙은이를 능가하는
힘을 손에 넣었는데….

간발의 차이로
생사가 갈릴 만큼
네놈과 사패천은
호각 아니었나?

혁..

빌어먹을…

후욱..

후욱..

지금의 저 모습이
지난 일 년 만에
이룬 성취가 아니라면,

애초 그 늙은이를
상대로 네놈이 가진
힘 전부를 사용치
않았다는 거냐!

어느 쪽이건 인정할 수 없다!

네놈은 이미 한참 전에 한계를 벗어난 상태일 터!

내 손으로 그 가면을 깨뜨려버리겠다!

천뢰마환공

폭렬대천!

투.

저건….

117화

30

이것이 놈이 만든 공진…?

후욱

후욱

공진이란 건 내공으로 만들어낸 결계…

자신의 싸움에 최적화된 공간일 텐데.

이런 환경이 네놈이 싸우기에 최적의 여건이라고?

…너, 기억난다.

사패천… 그 노인을 만났을 때 그곳에 있었던 자로군.

시패천의 죽음에
분노하는 건
내가 했어야 할 일을
네놈이 가로챘기
때문이다!

처음 만났던 그날
분명히 말했을 텐데.

우드득‥

우득‥

세상을 전부 뒤져서라도
찾아내 죽이겠다고!

오늘 네놈을
찾아온 건
그 약속을 지키기
위함이다!

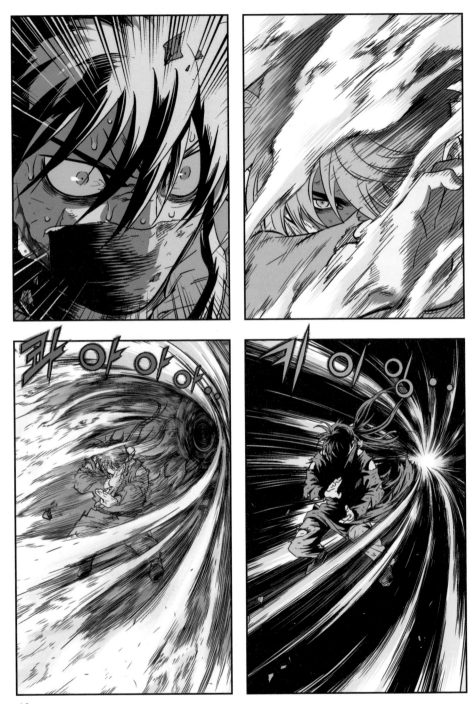

…….

헉!

헉!

헉!

대단하군.

무저곡 내에서 기공을 쓴 건 네가 처음이다.

사패천 그 노인도 하지 못한 일이야.

기의 소모가 심하기 때문에 나 역시 무저곡에서의 기공은 잘 시도하지 않아.

하지만 묵륜으로 잡아둔 것들을 되돌려주는 정도는 할 수 있지.

스읏..

큐 웃..

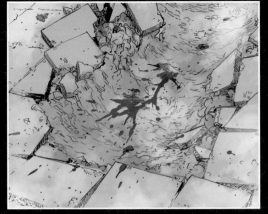

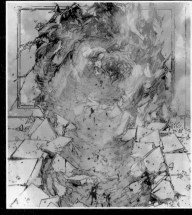

…네가 찾고 있다는
파천신군의 제자는
이곳에 없다.

하나…,

앉아 있는 나를 상대로
옷깃 하나 건드리지 못하고
그런 꼴을 당하는 주제에

놈을
찾아가서 뭘
어쩌겠다는 게냐?

…….

후욱

후욱

후욱

이 아이...
상당한 내력을
소유하고 있군요.

누군가 강제로
혈맥을 막아 놓은 탓에
자신의 힘을 제대로
쓰지 못하는 것뿐입니다.

......

지금은 쓸 만한 인재를
한 명이라도 더
확보해야 할 시점이니,

허락하신다면
제가 이 아이를
한번 고쳐보지요.

......

과연
쓸 만할지….

자네 생각이
그렇다면
그렇게 하라.

혈비…, 환사…
그 두 사람이
있는 곳….

알려주겠다.

…….

살려달라는
뜻인가?

맘대로 해!
죽이든지 말든지….

후욱!

후욱!

…제령왕의 제안대로
망령을 받아들였다면
좀 더 강해졌을까…?

챗….
이제 와서 무슨….

쿨 쿨 쿨.

흑룡왕 혈비…
그 자와 싸워본 적이
있다.

둘 다 싸워본
입장에서 말해주지.

너는
상대가 안 돼.

가면 틀림없이
죽는다….

그건 네가
신경 쓸 일이
아니야.

그야 그렇지.

킥…

그냥 가냐…?

어이,
뚱보….

두 사람이
있는 곳을 알려주면
살려주는 거
아니었어?

이대로 두고 가면
나 죽을 수도
있는데….

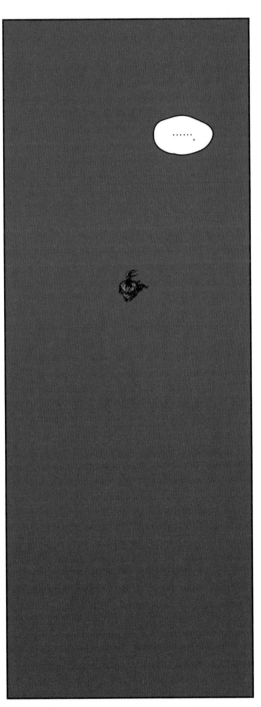

...여긴 어디야?

나···는
어디로 가는···
중이었지···?

......

묘각산

천곡산

하아암….

어쭈?

마당 청소도 안 해놓고
강 실장 뭐 하나?!
아직 자고 있니ㅡ?!

제가
가볼게요ㅡ!

용아,
일어났어?

콩

콩

66

강룡ㅡ!

끼익‥

도대체가
말이야….

뭐 해?!
아직 안 일어났어?!

아뇨…!

화장실
갔나 봐요.

탁

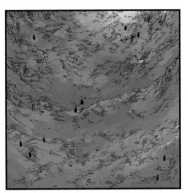

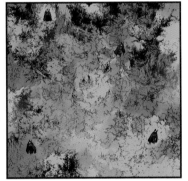

다녀왔습니다.

놈들의 경계가
삼엄하지
않던가?

예,
일정 거리 이상은
접근이 어려웠습니다.

현재 우리 측
첩보요원들은 모두
이 근처까지
철수시켰습니다.

……

저쪽 상황을
통제하고 있는 것으로
보이는 저 노인,
혹시…

70

천맹성 제운강…. 흔적을 보면 분명 강룡과 싸운 것 같은데.

지금은 뭘 찾고 있는 거지? 강룡을 찾는 거라면 황룡산 쪽으로 가보는 게 더 빠르지 않나?

그게 이해할 수 없게도 저 일대만 계속 뒤지고 있을 뿐,

수색 범위를 황룡산 쪽으로 넓히려는 것 같진 않았습니다.

확실히 이상하군. 강룡이 어디에 있는지 모를 린 없을 텐데….

그럼 강룡은? 객점에 돌아와 있는지 확인해봤어?

방금 연락을 받았습니다만 객점에도 아직 돌아오지 않은 것 같습니다.

뭣?!

그럼 뭐야! 정말 강룡이 저 근처 어딘가에 쓰러져 있기라도 하단 거야?!

그, 그건 지금으로선 아직….

…….

1개조만 남겨 놈들의 동향을 주시하고,

나머진 용이가 갈 만한 곳을 모조리 뒤져서라도 찾아냇—!

예, 옛!

모야, 모야,
모야, 모야.

지금 뭐가 어떻게
돌아가고 있는 건데?

쉿!
조용히 좀 해.

......

얘들아.

벌컥

우당탕...

우와앗!

물수건 몇 장 더 가져오너라.

그리고 우리 그이 먹일 미음도 좀 끓여오고.

네넵!

그이?

싱겁군. 너무 대충 끓여온 것 아냐?

환자한테는 짠 거보다 싱거운 게 좋대요.

쭙

으음...

응♡
나 불렀어?!

정신…
…드는 거야?

…누군지
알아볼 수…….

……

어…머니….

??

저런 미친.

결혼도 안 한
청춘한테
'누나'도 아니고….

편하게
죽으려면
깨어나지나
말 것이지.

………….
………….
………….

큭….

오냐,
내 새끼.

꼬오옥.

흠….

이걸 누가
보내왔다고?

율무기.

아아,
그 애늙은이 녀석….

애늙은이가 아니라
걔도 이젠 그냥
늙은이야.

서역 쪽으로
장사하러 다닌다고
눈코 뜰 새 없이 바쁘다더니
꼭 그렇지도 않은갑네.

이런 거 조사할
시간도 있고….

80

내가 부탁했다.

지난번 편지에 얼핏 언급됐길래 좀 더 자세히 알아보라 했지.

뭐 아무튼… 이게 사실이면 또 엄청 죽어 나가겠구먼.

끌끌…

그리고 눈에 넣어도 안 아플 영감 네 손녀딸도 위험해지겠어.

그렇게는 안 돼.

일단 내 눈으로 직접 확인해볼 생각이다.

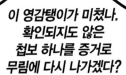

이 영감탱이가 미쳤나.
확인되지도 않은
첩보 하나를 증거로
무림에 다시 나가겠다?

여기 있는
다른 늙은이들이
그걸 인정해줄 거라
생각하나?

해서
말인데….

뭐라?!

네놈이 가진
그 '뱀의 혓바닥'으로
여기 늙은이들을 좀
설득해줘야겠다.

성공하면
금송아지 한 마리를
사례로 주지!

싫음 말고.

맡겨주십쇼, 손님.
한 마리 더 얹어주시면
저 영감들이 먼저 전쟁하자고
발광하게 만들어드릴 수도
있습니다만!

그럴 필요까진
없고.

그만ㅡ!

제운강이 죽고 무명은
시신조차 수습하지 못했다!
싸운 흔적으로 보아 둘 다
강룡이란 놈에게 당한 것이
분명하거늘,

이런 상황에서도
참으라는 건가!

명령만 내리면
당장 강룡을 찾아내 죽이고
황룡산 일대를 잿더미로
만들어버리겠다는
천곡칠살들을,

참으라는 말만으로
진정시킬 수
있겠는가!

제 표현이 서툴렀군요.

참으라고 한 것은 덮고 가자는 의미가 아닙니다.

시작이 어찌 되었건 사태가 이렇게 됐으니 강룡은 당연히 응징해야겠지요.

단, 사형은 물론

천곡칠살이 직접 나서는 것 또한 좋은 방법이 못 됩니다.

어째서 그런가?

천곡칠살이 강룡을 죽인다면 크게 문제 될 일은 없을 것입니다.

동료의 원수를 갚는다는 명분도 있으니….

그러나 만에 하나 천곡칠살이 강룡에게 당한다면,

우린 공들여 키운 재목들을 잃게 되는 반면 놈과 놈을 비호하는 세력들은 그만큼 힘을 얻게 될 것입니다.

최악의 경우 우리에게 복종하기로 한 문파들까지 흔들릴지도 모르지요.

천곡칠살이 놈에게 당할 거라 보는 건가?

가능성을 말씀드리는 것뿐입니다.

하면…

본좌가 직접 나서는 건 어떤가?

강룡이 틀림없이
죽게 되겠지요!

하나, 놈은 파천신군을
대리하는 자로서
새로운 패왕에 의해
청산되어야 할 상징적 존재.

그렇게 쉽게
치워버리기엔
아까운 제물이
아닐지요.

판단은 사형께서
하실 일입니다만.

…결국,

덮고 가자는 것과
무엇이 다른가?

본문에 귀의할 뜻을 밝혀온
모든 문파에 공문을 내려
강룡과 놈의 비호세력 그리고
황룡산 인근에 존재한다는
본문의 적대 세력을
토벌하도록 명하십시오.

직접 나서지
않는다 해서
응징할 방법이
없는 것은 아닙니다.

각각 얼마나 빨리, 얼마나 적극적으로 응하는지를 보면,

본문에 대한 그들의 충성도를 가늠할 수 있을 것입니다.

만약…

그들에 의해 강룡이 죽게 된다면….

사형과 천곡칠살이 직접 나설 필요가 없었다는 것이 증명되겠지요.

그리고 파천신군에 대한 뿌리 깊은 공포를 그들 스스로 극복한다는 점에서 좋은 일입니다.

그들이 두려워해야 할 대상은 오직 현 파천문과 무존인 사형뿐이니까요.

……．

반대의 경우…
강룡이란 놈에 의해
그들이 모두 괴멸되기라도
하면 어찌 되는가?

강룡의 존재감이
커진다는 건 그만큼
사형과 놈이 마주 설
무대가 커진다는 의미니
그 또한 나쁠 것이
없습니다.

단, 그들이
모두 희생되는 건
우리로서도 곤란한
일인 만큼,

적당한 시기에
사형께서
나서주셔야 합니다.

……．

오랫동안 찾고 있던 인재가 그곳 어딘가에 있다는 정보를 접하고 삼고초려의 마음으로 영입하기 위해 찾고 있던 중이었습니다.

까다로운 성격으로 주변이 소란스러워지면 또 잠적해버릴 우려가 있었기에….

결국 찾기 전에 이렇게 된 것을 보면,

우리와는 연이 없다고 봐야겠지요.

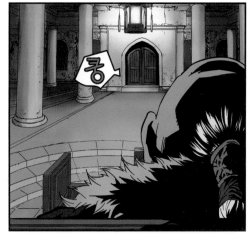

쿵

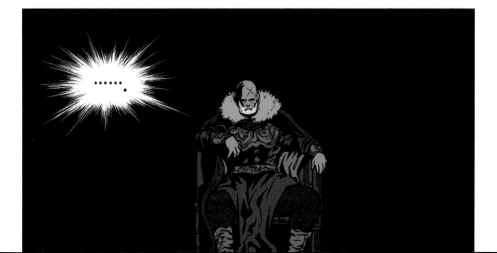

……

파천문 측이
철수하고도
이틀이나 지났는데
흔적조차 찾지
못하다니….

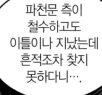

면목없습니다.

어딘가에
결계라도 치고
들어앉은 게 아니라면
이미 그곳을 벗어났다고
보는 게 맞겠어.

파천문 놈들도
못 찾고 돌아갔으니
최악의 상황은
아닌 셈이지만….

결계?

가만….

곡주님, 황규입니다!

파천문이 그런 공문을 내린 게 언제야?

대략 어제 오후쯤으로 추정하고 있습니다.

！

그런데 벌써 움직이고 있다고?

새로운 권력의 눈 밖에 나지 않으려면 최대한 적극적으로 움직여야 하니,

이것저것 따져볼 여유조차 없을 것입니다.

......

충성 경쟁 같은 거겠지요.

부딪치지 않는 편이 좋습니다.

지금 우리 입장에서 대응해봤자 득 될 것이 없습니다.

피한다고 해서 넘어갈 수 있다면 좋겠지만.

……

97

······

······

들켰을라나?

설마요···

···

그나저나 벌써 저렇게 걸을 수 있게 되다니 회복력 하나는 정말 끝내준다, 저 뚠뚠이.

산삼이고 녹용이고 있는 거 없는 거 다 갈아 먹였는데 회복이 더디면 섭하지.

의식은 없어도 넙죽넙죽 잘 받아먹더니 약발도 아주 짝짝 받는구먼···

근데 저대로 그냥 보내는 거예요?

언니가 원하시면 쟤 여기서 우리가 계속 키워도 되는데.

식비는 좀 들겠지만….

결계만 다시 닫아버리면 빙빙 돌다가 여기로 도로 돌아오게 될 거예요.

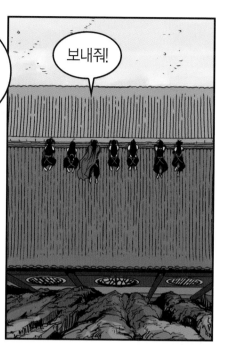

보내줘!

우리 언니 너무 착하시다….

내가 따라가면 되니까!

예에—?

……

아고고,
허리야….

용이 이 녀석은 도대체
어디서 뭘 하고 있길래….

아아앗!
강료ㅡ옹!

너 지금까지
어딜 쏘다니다가…….

!

찾으려 해도
안 보이던데
어디에 있었던 거야?

그냥...

여기서 그렇게
멀진 않은 곳이었어.

......

지금
가는 거야?

응.

돌아오긴
할 거지?

...모르겠어.

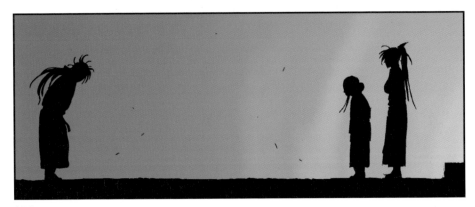

......

저 녀석 돌아올 때까지 배달은 포기하는 게 낫겠지?

그야 뭐….

참, 너 도 실장 연락처 어디 적어둔 거 없니?

없어요!

병소엔 술 서서 기다렸다 먹어야 할 정도더니,

오늘은 웬일로 손님이 없네요?

다들 피난을 가네 어쩌네 하면서 정신이 없어서 그렇죠 뭐.

우리도 오늘까지만 하고 당분간 가게 닫을 예정이니까 손님도 그렇게 알고 계세요.

피난?

덜거덕…

……

뭐…야,
이건…?

대체 뭔 일이
벌어지고
있는 거야?!

미쳤군!

파천문을 노리는
암살자와
그를 비호하는 세력,

그리고 그들의 활동에
동조하거나 묵인한
황룡산 이남의 모든 이들이
대상이라고?!

이건 강룡과 백마곡만을 특정한 게 아니라,

근처의 민간인들까지도 공격 대상에 넣겠다는 뜻 아닌가!

……

민간인들까지 공격하겠다는 뜻인지는 아직 알 수 없습니다.

황룡산 이남 지역엔 백마곡 말고도 파천문에 적대적인 세력이 있으니까요.

붕괴된 무림맹의 잔존 세력들이 최근 소도산을 중심으로 모여들고 있는데,

풍진방의 젊은 방주가 반 파천문의 기치 아래 그들을 이끌고 있고…,

109

내부 문제로 세력이 약해지긴 했지만 황석골의 일월단 이라든가,

그 밖에도 파천문에 충성서약을 하지 않은 군소 문파들이 꽤 산재해 있는 편입니다.

문제는…

이 일에 대한 민간인들의 반응입니다.

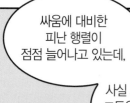

싸움에 대비한 피난 행렬이 점점 늘어나고 있는데,

사실 그것만으로도 그들은 이미 피해를 입은 것입니다.

그리고… 그들이 원망하는 대상은 놈들이 아니라 우리 쪽이었습니다!

며칠째 계속 파리만 날리는구먼.

다들 피난을 가네 어쩌네 어수선하니 당분간 나아질 것 같지도 않고….

......

우리도 슬슬 피난을 가든 이사를 가든 해야 할 것 같은데 어떻게 생각하냐?

엄마 좋을 대로 하세요.

이게 다 '그 인간' 때문이야.

그 인간이 다녀갔을 때 바로 떠났어야 하는 건데….

친 파천문
연합세력

오룡방

창해문

설산파

혁련검파

대림당

부용세가

태청문

113

다각··

평원 너머로
멀리 보이는 저 산이
황룡산입니다!

!

이쯤에서
진을 친 다음
후속 문파들의 합류를
기다릴까 하오만.

좋은 생각
입니다.

공을 다투다 놓치느니
처음부터 놈이 빠져나갈
틈조차 없도록
에워싸야 합니다.

그러자면
인원이 많으면
많을수록
유리하겠지요.

어쩌면
파천신군의 제자란 놈,
벌써 달아나고 없을지도
모르겠군요.

우리가 온다는 건
지금쯤이면
알고 있을 테니.

114

놈이 있는지 없는지는 정찰 요원을 보내 조사해보면 알게 될 일이오.

예….

참, 그리고 이곳 지역민들에 대한 처리는 어떻게 할 예정이신지.

공문의 내용으로만 보면 마치….

그건 지역민들이 얼마나 협조적으로 나오는지에 따라 다르겠지요.

그 부분에 대해서도 함께 논의해봅시다.

음?

저건 누군가?

?!

백마곡주
진가령입니다!

뭣?!

우릴 기다리고
있었던 건가?!

백마곡이
파천신군의 제자와
한패라더니
사실이었군!

그렇다 한들 우리가 함께 하고 있는데 무엇이 두렵겠소이까!

모두들 전열을 가다듬어라!

각 문파, 전투대형으로ー!

파천문 따위에 빌붙은 개돼지들 주제에 많이도 몰려왔군.

......

......

하나, 승패는 머릿수로 결정되는 게 아니지.

지금부터 그것을 깨닫게 해주겠다.

지당하신 말씀입니다!

싸움이란 기선 제압이 중요한 법.

초전에 늙은 쥐 몇 마리만 때려잡으면 자중지란을 일으킬 것입니다.

뿌득..

키이잉~

117

......

뭐야,
저 낮도깨비 같은
인간은?

풍진방주 아냐?

맞는 것 같은데.

거 왜, 일전에 말씀드렸잖습니까. 무림맹 잔존 세력을 이끌고 있다는….

!

나는 대 풍진방의 방주 도겸이라 한다!

그대들은 누구의 허락을 받고 감히 본방의 보호를 받는 지역에 무장을 한 채 침범하는가

풍진방이라면….

이번 출정의 토벌 대상 중 하나입니다.

지금이라도 물러간다면 더 이상의 책임은 묻지 않겠지만,

여기 그어놓은 선을 넘어오려 든다면 본방에 대한 도발로 간주하고 그에 맞게 대응해주겠다!

좌측 숲 쪽으로 상당한 인원이 잠복해 있습니다.

아마도 풍진방주를 따르는 자들인 듯 합니다.

…!

혼전 상황이 되면 피아 구분이 쉽지 않겠는데요.

성가시군.

무림맹의 찌꺼기들이 모인 방과 살수 집단 따위가….

121

대세의 흐름에 역행해
강호의 평화를
깨뜨리려는 역도들이다!

단숨에
짓밟아버려라!

흥.

그렇게 나온단
말이지.

우리도
준비.

옛!

!

사람이?!

아…!

저…, 저 사람은
설마…

빙옥선제?

'신선림'의
이름으로
무림인들에게
이르노니,

양쪽은 즉시
싸움을 멈추고
물러서라!

듣지 않겠다면
힘으로라도
물러서게 해주겠다.

흥…
할머니.

신선…
뭐?

신선림?

바,
방주님?

무림 말학
오룡방주 양사민이
빙옥선제 홍예몽 님을
뵈옵니다.

!?

......

시, 신선림이라면 혹시 곡주님의 외조부님이 계신다는 그곳 아닙니까?

어째서 저놈들이 저렇게 당황하는 거죠?

네놈들…,
아무리 백마곡의
일원이 된 지 십 년여 밖에
안 됐다지만,

오십 년 전 중원무림의
명운을 걸고 벌어졌던
대마교전에 대해서는
알고 있을 테지?

그 싸움에 참가했던 분들이
무림을 떠나 정착한 곳이
바로 신선림이다!

!!

그야…
그런 큰 싸움이
있었다는 것 정도는
듣긴 했습니다만…

저희들이
태어나기도 훨씬 전에
있었던 일이라….

그, 그분들이 아직 살아 계신다고요?

아니, 그보다,

곡주님의 외조부님...
그 온화하게 보이는 어르신이
설마 전설적인 무림의
구원자 중 한 분이셨습니까?

온화하긴
개뿔….

…….

아닌 게
아니라…

신선림은
정, 사를 떠나
모든 무림인들에게
성역과 같은 의미를
갖는 곳.

더구나 정파 오무제 중 한 명인 빙옥선제 홍예몽이라면,

그 막강한 마교도들조차 공포에 떨게 한 정파 무림 최강의 여걸이다.

소위 무림계의 명맥을 잇는다 자부하는 자들이라면,

감히 무기를 든 채 저분 앞에 마주 설 순 없을 터.

그런데…,

분명 혼자만 오신 건 아닐 테고.

신선림이 왜 갑자기 무림의 일에 개입하려는 거지?

빙옥선제라면
적어도 칠순은
넘겼을 텐데…?

……

오룡방주께서
뭔가 착각하신 건
아닌가?

…….

오룡방주라…

상산진인 양선지 님의
자제분이겠군요.

검무를 즐기던
호기로운 남아였던 것으로
기억합니다만.

!

기, 기억해주시니
영광입니다.

틀림없다.
이분은….

빙옥선제께선 제가
철부지 시절 뵈었던
그 모습 그대로이십니다.

화장으로 잠시
감추고 있을
뿐이지요….

후후…

아….

…….

헌데…,

조금 전…
싸움을 멈추라 하신 것은
저희가 어떤 의미로
받아들여야 할지….

무의미한 희생만
불러올 싸움이기에
그만두라는 뜻인데…

내 말이
어려웠던가요?

아…,
그런 게 아니라
지금 저희가
싸우려는 대상은
현 무림의 질서를
깨뜨리려는 자들이온데,

혹 그 점에 대해서도
알고 계시는지
여쭙는 것입니다.

무림 질서를
깨뜨리려는 자….

우리 신선림의
적통을 계승한 백마곡이
그렇다는 말인가요?

후음…

!

이…럴 수가!

백마곡이
신선림 측과 뭔가
연관되었을 거란
추측은 하고
있었지만…!

하나, 모든 건 파천문이라는 문파의 무리한 중원 정벌에서 비롯된 일.

우리 '신선림'은 조만간 파천문을 상대로 이 일의 책임을 물을 생각이에요.

파천문을 상대로 설욕을 원하는 피해 당사자들에겐 참전할 자격이 주어지겠지만…,

그 외엔 어느 누구도 이 싸움에 개입해선 안 돼요.

......

......

......

지금 한 말도
더 알기 쉽게
설명해야 하나요?

아,
아닙니다!

가서
강호인들에게
본녀의 뜻을
전하세요!

알았으면
이제 그만 일어나서
돌아들 가세요.

그럼….

이대로 돌아가면
파천문에서
그냥 넘어가지
않을 것입니다!

으음….

그렇습니다!

바,
방주님!

……

정말
돌아가는 겁니까?

그렇다 해서
중원에 뿌리를 둔
무림인의 몸으로
신선림을 적으로
돌릴 순 없는 일.

저분들이
나서겠다 한 이상
우리가 끼어들
여지는 없소.

오룡방은
이 일에서
손을 뗄 것이오!

일말의 의문이
남지 않는 건
아니지만….

…!

……

돌아간다!

각 문파별로
행군 대형으로—!

히
히
힝;;

푸
르
르
륵..

……

……

……

!

응?
내가 왜?

파천문이고 뭐고
이 나이에 왜 내가
그런 애들이랑
싸운단 말이냐?

예?

하지만
아깐 분명히…

그거야
두 영감탱이한테
부탁받은 대로
읊조린 거고….

다 왔소이다, 손님.

음.

저기 보이는 산이 칠곡산이오.

무슨 산?

귓구멍이 썩었소? 칠곡산 가재서 칠곡산 왔잖소. 빨리 내리쇼!

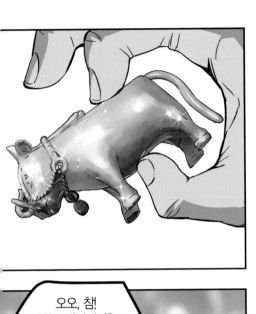

어디 보자.
천곡산이라…….
아이구, 이런~.
한참 잘못 들어오셨네.

일부러 딴 길로
새지 않고서야….

이거
되돌아가는 데만도
이심일은 더
걸리겠는데요?

오오, 참!
'천곡산'이랬지?

늙으니 기억이
가물가물해서….

이 썩을 놈이….

하핫…

개수작 말고
빨리 몰아!

하루 이상 걸리면
내 손에 죽을 줄 알아!

146

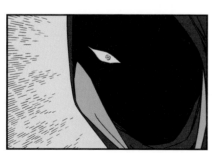

알았으니
나가 있으라.

옛!

149

쿵
쿵
쿵

쿵

이건 또 생각지도 못한 흐름이로군.

충성 경쟁은커녕 너도나도 이 싸움에 개입하지 않겠다는 선언을 하고 있단 말이지….

혹시 이런 상황도 예측하고 있었나?

그런 건 아니지만….

조금… 이상하군요.

그럴 거라면 왜 굳이 황룡산까지 간 건지….

그곳에서 뭔가 변수라도 있었던 건가?

흐음..

150

거기서 강룡을 만나
녀석의 힘을 직접 본 뒤
마음을 바꾼 걸까?

아니면
백마곡이나
다른 누군가가···.

아무튼
좀 더 자세히
알아본 다음···.

이제
그만하지.

예?

이 정도면
충분하다 보네만···.

도대체 언제까지
더 기다려주길
바라는가?

지금부터는
내 방식대로
해야겠어.

그 말씀은···.

우선 중원의 버러지들에게, 감히 본문의 요청에 불응하게 되면 어떤 결과를 가져오는지부터 알게 해줘야겠지.

그런 다음…

본좌가 직접 황룡산으로 가 강룡이란 애송이를 단죄하겠다!

!

친곡칠살…, 아니, 이젠 오살이군. 아무튼…

녀석들도 제운강과 무명으로 인한 응어리를 풀고 싶을 테니 같이 간다.

너무 서두르는 것이 아닐지….

어차피 궁극적인 목표는 구 무림의 늙은이들 아닌가….

나서는 김에 백마곡 잔당들도 쓸어버릴 생각인데,

과연 그 늙은이들이 어떻게 나올지 궁금하군.

152

……

신중하라는 의견 말고
나를 설득할 또 다른
의견이 있는가?

그럼
없는 것으로 알고….

……

쿵
쿵!

무슨 일이냐!

누…가
찾아왔다고?

……

이것이 내가
줄곧 우려했던
불안요소.

선도술(仙道術)까지
수련한 신선림의
늙은이들에겐,

나의 괘(卦)가
닿질 않아
그 행보를
예측할 수가 없다!

…그렇다 해도
설마 여길 직접
찾아오다니…!

하앙..

이거 얼마나 더
기다려야 되는 거야?

슬슬 짜증이
솟구치는구먼.

…….

무림계의 구원자이자
살아 있는 전설인
대선배님들이 오셨다면
재까닥 튀어나와야지.

도대체가
후배 놈들이
기본이 안 돼 있어.

…….

네놈은…,

제 입으로
그런 말 하기
부끄럽지도 않나.

뭐 어때.
누가 듣는 것도
아닌데.

끼이이..

!

꾸물거리기는….

……

그 '마교'와 싸웠던
구 무림의 거목들이라…

그렇게까지
대단해 보이진
않는데…?

겉모습만 봐서는
그렇게 느껴질 수도
있을 테지.

!

도 총관님은
저 노인들을
알고 계시겠군요.

직접적으로
아는 사이는
아닐세.

하지만…

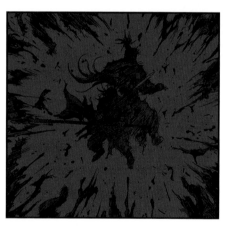

마교도들과 싸웠던
저들에 대한 얘기는
어릴 때부터 귀에
못이 박히도록
들으며 자랐지….

……

흠음….

뭐어…,
이제 곧 알게 되겠지.

과연 그 명성만큼
대단할지 어떨지….

진유림과
곽소종은
좋은 구경거릴
놓쳤군.
큭큭….

그건…
무슨 말인가?

제 발로 찾아온 만큼
무존께서는 저 노인들을
굳이 살려서 돌려보낼
생각이 없어 보이던데요.

159

뭐…?

환영을 하는 건지
경계를 하는 건지….

두 분을 맞이할 준비를
하느라 늦었습니다.
들어가시지요.

호랑이굴에 찾아오신 걸
환영하오, 선배님들.

늦었다 해도
그 마교를 상대로
이름을 떨쳤던 분들이다.

손속에 사정을 두어
두 분의 위명에
누를 끼치지 않도록!

123화

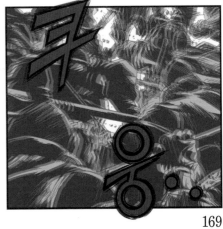

171

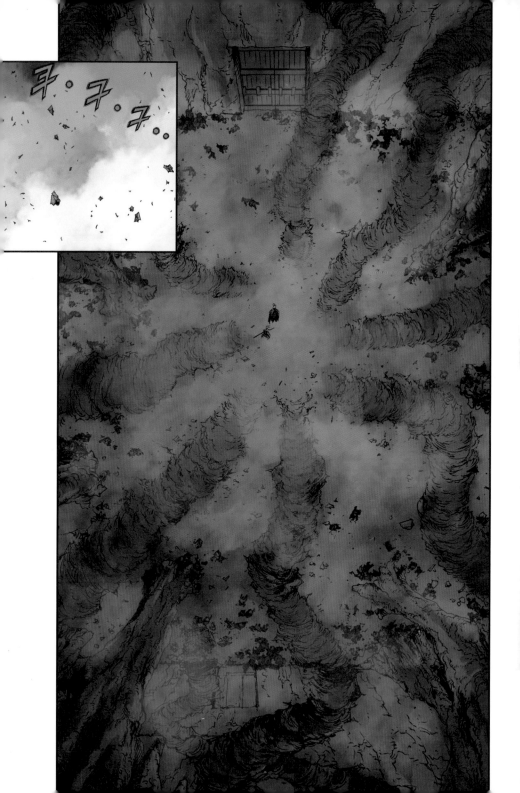

허깨비들 상대로
요란하기는.

저렇게들
보고 싶어 하니
보여줘야지.

나이 먹었다고
너무 빼는 것도
실례야.

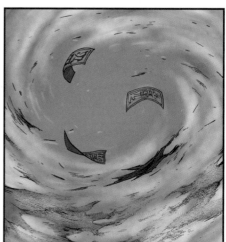

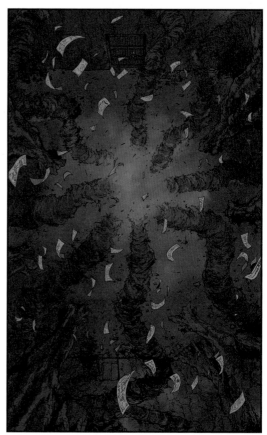

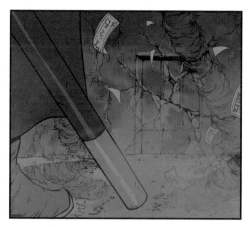

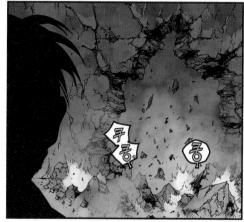

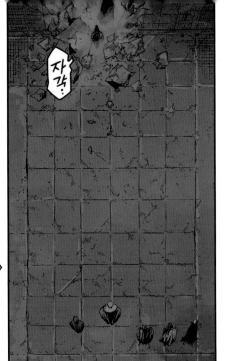

짝
각.

투둑.

……!

잔뜩 모여
있을 줄 알았더니
그런 것도 아니네.

그래서…

아직 더
보고 싶은 게
남았나?

아니면
지금 여기서
끝을 볼 건가?

…….

대답이 없으면
끝을 보겠다는 뜻으로
받아들이겠다.

껄 껄 껄 껄

과연 신선림의
선배님들이십니다!

최근 들어 신선림뿐 아니라
선대 무림의 귀인들을
사칭하는 자들이 간혹 있어
결례를 무릅쓰고 두 분을
시험해보았습니다.

불쾌하셨다면
부디 용서하시기를….

그런가?

여긴 어수선하니
다른 곳으로
모시겠습니다.

이쪽으로….

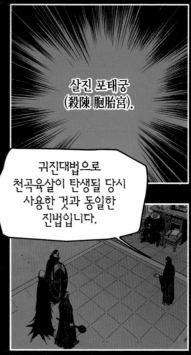

살진 포태궁
(殺陳 胞胎宮).

귀진대법으로
천곡육살이 탄생될 당시
사용한 것과 동일한
진법입니다.

눈앞의 허상에 현혹돼
잠깐이라도 동요하거나
반응하게 되면

그 순간 허상은
저들에게 현실이 되고
본질을 타파하지 않는 이상
살아서 저곳을 빠져나오지
못할 것입니다.

살아서 빠져나올 수
없는 '진'이라…

과연 어떻게 될지
한번 볼까.

호‥

……

후 우……

당시 수련을 끝낸
우리조차 쉽사리
빠져나오지 못한
죽음의 진.

포태궁.

……

……

저런 늙은이가
그 포태궁을
저토록 간단히
깨뜨리다니…!

이거 농담이 지나치십니다.

걸 걸 걸 걸

이 제안을 받아준다면,

신선림으로 가는 길을 열어주지!

그대들이 궁극적으로 원하는 것이 그것이 아닌가?

…….

하면…,

우리가 신선림으로 가려는 목적이 무엇인지도 알고 계시는지?

결연이나 친선 교류가 목적이 아니라는 것 정도는 알고 있네.

……!

후….

본문과 본문의
적대 세력 양측을 대표하는
소수의 인원들만으로
승부를 결정짓는다라.

과연…
신선림이 중재한다면
그 결과에 승복하지 않을
무림인은 없을 테니….

단…,

두 분 선배님들께선 중재자가 아닌 '참가자'로서 저희 파천문에 직접 가르침을 주시는 것이 어떨지….

좋습니다. 받아들이지요!

제안에 응하는 대가로 저희도 약간의 즐거움은 누려야 하지 않겠습니까.

!

그렇게 하지!

털거덕...

털거덕.

털거덕.

...... 나이를 먹으니
촉이 둔해졌나…

들어갈 때만 해도
곳곳에 살기가 진동하길래
얌전히 빠져나오긴
힘들 거라 생각했더만.

…하긴
퇴물이라 생각한
늙은이의 수려하고도
강력한 '한방'을
직접 보니 쫄았─

을 거라
생각할까 봐
말해두는데…,

전략을 바꾼 걸 거다.
여기서 우릴 죽이면
중재자를 암살한 꼴이니
실리를 얻는다 하더라도
무림인들을 설득할 수 있는
명분이 없지만,

정당한 대결을
통해 해치우면
명분과 실리 양쪽을
다 취할 수
있을 테니까.

전략을 바꾼 이유는
네놈의 그 허접하고
요란한 '한방'이
우습게 보였기
때문일거고.

뭐이?!

설마 저렇게 그냥 보내게 될 줄은 몰랐군.

처음엔 언제든 틈을 보이면 척살하라는 명이었는데 말이야….

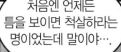

중간에 흑룡왕께서 마음을 바꾸신 듯했지만 따로 언질이 없었기에 실행해야 할지 말아야 할지 계속 고민이었거든.

아닌 게 아니라…

내 손으로 직접 저 두 늙은이를 죽여 '신선림'에 대한 무림의 환상을 깨뜨릴 생각이었다.

의중을 읽지
못한 데 대한 책임은
추궁당하겠지만,

저 둘을 죽임으로써
세울 공이 더 크다!

어차피 과거라는
환각으로 포장된
늙은 범일뿐.

스윽…

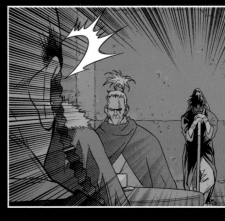

......!

저… 영감,

줄곧 나를 보고 있었나? 언제부터?

내 의도를 눈치챈 건가?

…하나, 소용없다.

동시에 움직인다 해도 위치상 내 쪽이 빨라.

……

…보니 결국
죽이지 않은 것이
옳은 판단이었지만.

자칫했으면
난처해질 뻔했어.

……

그 기분 나쁜 웃음이 정말 나를 도발하기 위한 것이었는지, 그 순간을 모면하기 위한 술책이었는지 조만간 직접 확인해보겠다!

으드득

이번에도…,

성급했다고 생각하고 있나?

이미 결정된 일입니다. 제 생각은 중요하지 않습니다.

흐음….

……

파격적인 제안이긴 했지만 단지 그 제안을 관철시키기 위해 저 정도의 거물들이 직접 이곳을 찾아왔다고?

우리가 신선림을 어떻게 하려는지 알고 있으면서?

뭐지, 이 답답한 기분은…?

사형의 변덕이
아니었다면
살아서 돌아가지
못할 수도 있었다.

그걸 모르진
않을 텐데.

스스로에 대한
자신감만으로 저렇게
무모한 짓을 하는
사람들이었나.

그렇다 해도
무언가…….

또 시작이구먼….

허구한 날
티격태격하면서
뭐 좋다고 맨날
붙어 다니는지….

그만들 하고….

조사 결과는
어떤가?

마교와
관련 있어 뵈는 건
없었소.

아무래도
잘못 짚은 것
같은데….

일각

제대로
조사하긴 했나?

못 믿겠으면
네놈이 다시
들어가보든가!

201

잠영 투체술이 신의 경지에 오른 나니까 그 삼엄한 감시를 뚫고 조사라도 할 수 있었지!

네놈 같았으면 잠입 시도도 못해보고 발각돼서 잡혔을 것이야!

……

인건비 싼 맛에 고용했더니 입만 살아가지고.

아니면…,

그만큼 잘 감춘 걸 수도 있지.

글쎄….

……

역시 직접
확인해보는
수밖에….

싫어도 조만간
그렇게 될 테지.

??

덜거덕..

어쨌든…
다소 어거지스런 제안을
저쪽에서 받아준 건
잘 된 일이지만,

혈비란 놈 말고도
만만찮아 뵈는
애들이 몇 있던데.
가령이 측에 그만한
인재가 있으려나?

뭐… 할망구가
사람 보는 안목은
좀 있으니까
알아서 하겠지.

지금쯤
열심히 선별하고
있겠구먼.

밥은
언제
먹나?

덜거덕..

어머,
어머.

호호호..

쓸 만한
인재라….

제, 제발…!

가진 건 그게
전부입니다.
목숨만
살려주십시오.

고…맙습니다.

덕분에 목숨을
살렸….

헉!

！

아…, 저,
죄…, 죄송…합니다.

사…,
살려주세요.

……?

ㄲㅇ..

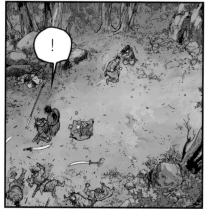

!

211

또 내가…

이렇게 인적이
드문 길로 다니는
이유가 이거였군.

킥‥

처음으로
사람을 죽이더니
당황한 거였어.

…사람을 죽인 건
이번이 처음이
아니야.

죽일 땐 몰랐지만
시간이 지날수록
묘하게 두근거리고
사소한 자극에도
살기가 불쑥불쑥
튀어나오고 말이야.
쿡쿡쿡….

그야 그렇지.
하나, 막사평은 애초부터
죽여야 할 대상이었고,
사패천이란 노인과는 그런
결말이 될 수밖에 없었지만
그 창잡이는 달라.

죽일 대상도 아니었고
굳이 죽지 않고
끝낼 수 있음에도
그러지 않았잖아?

놈은 나를 죽이기 위해
혈비가 보낸 자객이다.
죽일 이유는
그걸로 충분해.

이런,
오해하지 말아.
지금 너를
비난하는 게 아냐.

오히려 칭찬하는
중이라고.

어차피
무림인들이란 것들은
죽음과 동거하는 족속들.

결투를 통한 죽음은
그들에게 있어 극히
자연스러운 일이야.
죄책감 따위
느낄 필요 없어.

지금은 당혹스럽겠지만 곧 익숙해질 거야. 사부님이 그랬듯이.

뭐야. 네놈 설마 사부님이 걸었던 그 길까지 부정하려는 건 아니겠지?

닥쳐…!

쿠웅..

……

빨리… 죽이고
끝내야겠어.

묘각산

빠
악...

퐉 퐉...

다음 지원자ㅡ!

......!

......!

더 이상
없으신가?!

이 황규도
넘어서지 못할 실력이면
천곡칠살의 옷자락도
건드리지 못할 터!

그대들의 심정은 이해하나
분노와 복수심만으론
아무것도 할 수 없소!

더 이상
지원자가 없으면
이것으로….

잠깐!

내가 한번
해보겠소!

오…!

거철!

풍진방 쪽에선 몇 명이나 통과했나?

아직까진 없어.

양쪽 통틀어서 한 명이나 통과할 수 있을지…

흠….

저 황규란 아이가 강한 거야, 아님 지원자들이 약한 거야?

글쎄….

아니, 가만! 한 명도 통과 못하면 어떻게 되는 거야?

자네 둘이서 놈들을 다 상대해야 하는 건가?

자네 '둘'?

하, 요 땡중ㅅㄲ.
지보고 싸우랄까 봐
선수치는 거 보소.

......

구명감 하고
나만 싸우라
이거지.

이미 선별된 사람이
세 명 있어요.

!

실력만 믿을 만하다면
적당할 수도 있어.
이 경우엔 숫자가 많아 봤자
희생만 늘어날 테니.

세 명이라….
애매한 숫자네.

공교롭네요.
구 대협도 당신과
같은 의견이던데.

그럴 테지.
제 입으로
약속한 게 있으니….

?

무슨 뜻이에요,
그게?

아냐,
암것도….

……

아미타불….
빙옥선제께선
며칠 못 본 사이에
한층 더 젊어지신 것
같구려.

신선림의 모든 이들이
똑같이 선도술을 수련함에도
어째서 유독 두 사람만
나이를 거꾸로 먹는지….
비결이 있으면
같이 좀 압시다.

어머,
스님도….

좋게 봐주셔서
고맙지만
그저 화장 탓일
뿐이랍니다.

에이,
왜 이러실까.

화장 별로 안 하는 거
다 아는데….

네놈 같은
독신주의자한테
자미음양술이나
백화방중술 같은 걸
설명해준들 이해나 하겠냐!
헛소리 말고 저리 가거라,
아가야.

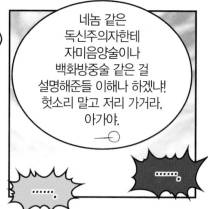

……

………

그리고 천곡산으로 향하는 동서남북 각 방향의 길목마다 저들이 선별한 무인이 한 명씩.

천곡산의 파천문 본당엔 흑룡왕 혈비와 제령왕 환사.

단, 남쪽 방향엔 두 명⋯!

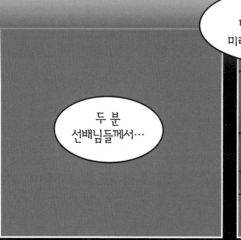

어느 방향을
택할 생각인지
미리 알려주신다면,

두 분
선배님들께서…

저희 쪽에서도
두 분께 걸맞는 준비를
해두고 싶습니다만.

…….

정면 쪽…
남쪽 방향으로
오도록 하지.

알겠습니다.

…….

남쪽을 제외한
세 방향에 각각
한 명씩 파견하되,

남은 두 명은
자네의 지휘하에 두고
만약의 사태에
대비하도록.

누구를
어디에 파견하고
누구를 남길지는
자네가 결정하게.

남쪽을… 제외한다는 건
비워둔다는 뜻입니까?

그럴 리가….

신선림의 두 노인은 본좌가 직접 맞이할 생각일세.

신선림의 노인들에겐 처음부터 황저가 의욕을 보였기에,

남쪽은 황저와 다른 한 명에게 맡길 생각이었습니다만.

나도 그럴 생각이었네만.

!

'걸맞는 예우'를 약속한 만큼,

본좌가 직접 맞는 것이 도리가 아니겠는가.

...... 황저의 불만이 대단하겠군.

결국…,

선발 시험을 통과한 사람은 없는 것 같군.

황규를 이긴다 해도 당숙부까지 제압해야 하는 조건이었으니 통과할 수 있을 리가….

풍진방주는 선별 방식에 이의 없는가?

예. 쓸데없는 희생을 줄일 수 있게 됐으니 오히려 잘된 일입니다!

이해해줘서 고맙군.

자, 그럼 되도록 간단히 설명하지.

천곡산으로 향하는
동서남북 각 방향의 길목을
파천문 측에서 선별한 무인들이
지키고 있을 것이다.

아마…
천곡칠살이라
불리는 자들로
추정되는데,

누가 어느 곳을
지키고 있을지에 대해선
따로 정보가 없다.

단, 남쪽 방향은
파천문주의 요청으로
우리 두 늙은이가
맡기로 했으니,

자네들은 각각
나머지 세 방향 중
한 곳을 택하면 된다.

규칙은 간단하다.
일대일로 승부를 겨루되
상대가 패배를 인정하거나
죽을 경우에만 끝난다.

승패가 갈리면
패한 쪽의 다른 참가자가
상대편 승자에게 대결을
청할 수 있는데
역시 일대일 승부로
규칙 또한 같다.

그러나 우리 쪽은
자네들이 패할 경우
다른 참가자가 없으니
참고만 해두도록.

파천문 쪽의
'참가자'들을 다 꺾으면
어떻게 됩니까?

더 이상
도전하겠다는 이가
없으면…?

……

이 친구…,

자신이 진다는 생각은
아예 하지 않는 건가.

만약
다른 쪽 승부에
참가할 생각이
없으면…,

다른 쪽 승부에
참가할 수 있네.
우리 쪽 참가자가
패할 경우 대결을
청하는 방식일세.

그땐 천곡산으로 가서 파천문주에게 대결 신청을 해도 되는 겁니까?

아니면 파천문주와 싸우는 건 네 곳의 승부가 마무리 된 뒤라야 가능한 겁니까?

당연히…,

곧바로 파천문주에게
가는 것도 가능하다.

질 거란 생각을
하지 않는 건
셋 모두 마찬가지군.

또 질문할 게
남았나?

언제
시작하는
건가요?

저쪽은 이미
준비를 마쳤다는
연락이 있었다.

우리가 각 지점에
도착하는 즉시
시작이라 보면 된다.

하나, 저쪽이 준비를
끝냈다고 해서 우리가 굳이
서두를 필요는 없다.

각자 정리할 일이
있으면 정리한 뒤에
출발하도록!

딱히 정리할 만한 일이 없다면,

지금 당장 떠나도 괜찮습니까?

…….

물론이네.

알겠습니다. 그럼….

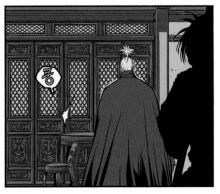

수상한데, 영감…?

또 뭔 말이
하고 싶어서
시비냐!

……．

다른 두 아이는 몰라도
가령이한테는 한 마디쯤
해줬어야 하는 거 아닌가?

예를 들면
'후회 없이 싸우되
목숨까지 걸 필요는
없다'라든가,

'자신보다 고수에게
당하는 패배는
굴욕이 아니다',

'죽기보다는 차라리
패배를 인정하거라'
같은 거 말이야….

설마…,

네놈이 전부
해결해버릴 생각을
하고 있는 건
아니겠지?

쓸데없는 소리
할 시간 있으면
떠날 채비나 해!

……．

채비랄 거나 있나.
언제 출발할
생각인데?

지금!

뭐?!

자, 잠…!
아니, 왜 그렇게
서두르는 거야?!
아직 할망구랑 회포도
못 풀었는데….

며칠 떨어져 있었다고
회포야, 회포는!
헛소리 말고 빨리 준비해!

!

걸어서 가기엔
먼 거리야.
말을 타고 가는 게
나을 걸세.

……

238

더 이상 선별된 자는
없다 하더니….

당신이 내 다음
참가자인가?

설마….
나도 주제 파악
정도는 한다네.

참전이 아니라
참관을 위해
가는 걸세.

……

당금 무림
최고수들의 경합이라니
놓치기 아까운
구경거리 아닌가?

끝까지 고맙다는 말 한마디 없이 떠나네. 하여간 저 싸가지….

보기보디 성미가 급하군요, 저 검사….

아직 누가 어느 방향을 맡을지 결정도 안 했는데….

…….

그 자가 어느 방향을 지키고 있을지 모르니 우리보다 먼저 도착해 그가 있는 곳을 선택하려는 생각이겠지요.

천곡칠살 가운데 자신이 찾고 있는 상대가 있어서 그럴 거예요.

그런 사정이라면야. 뭐…

호음..

참, 저는 아무래도 오늘 떠나긴 힘들 듯한데,

백마곡주께서는 오늘 떠날 생각이신지…

다른 게 아니라…

혹 제가 먼저 도착하더라도 곡주님이 두 곳 중 한 곳을 선택하도록 양보해드리고 싶습니다만….

저도 오늘 중엔 출발하기 어려울 것 같네요.

배려는 고맙지만 그럴 필요까진 없어요.

후후..

먼저 도착하는 사람이 선택하고 늦게 도착한 쪽이 남은 한 곳을 맡기로 해요.

알겠습니다.
그럼 무운을
빌겠습니다.

도 방주께도
무운이
함께하기를….

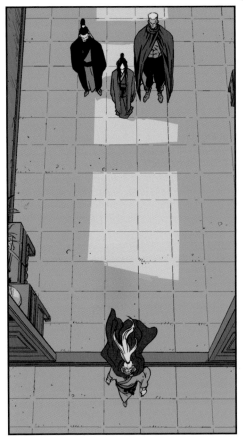

고, 곡주님!
곡주님ㅡ!

뭔가?

…….

외조부님께서도 지금 출발한다 하십니다!

뭐?! 지금 어디 계셔?!

…….

오랜만에 오셨네요, 우복 아저씨.

으응…. 이번엔 좀 멀리 다녀왔거든.

!

선제님!
선제님─!

여기 계셨군요.
역시….

무슨 일
인가요?

두 분 조부님들께서
천곡산으로 출발한다
하십니다!

빨리
돌아가셔야
겠습니다!

지금?

이 할망구는
어디 간 거야?

저…,

말씀 좀 여쭙겠습니다.

헉?!

으악!

도, 도깨비다!

사람 살려!

……

……

도…깨비? 내 몰골이 그렇게 보이는 건가?

뭐야, 이게.

헉… 헉…

내가 어떻게
돼버리기라도
한 건가?

내가
죽거든…

이곳을
나가거라.

싫어요.

여기서 계속
살 거예요.

…그래선
안 돼.

사람은
혼자 살아갈 수
없는 법이다.

바깥세상으로 나가
사람들을 만나고
그들과 함께
살아가야 해.

네가 익힌 무공은…

네가 옳다고 생각하는 일을 위해 사용하거라.

그리고 내가 남긴 힘은…,

내… 속죄를 위해 사용해다오….

용아….

…예.

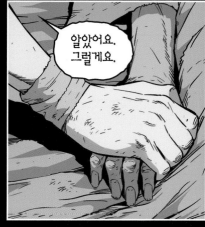

알았어요.
그럴게요.

그래,
그래….

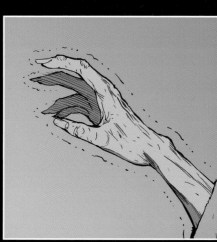

미안하구나….

좀 더 빨리 너를
떠나게 했어야
하는 것을….

이… 늙은이의
쓸데…없는 고집
때문…에.

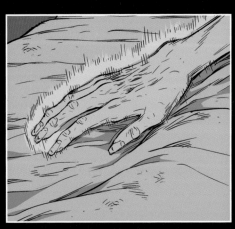

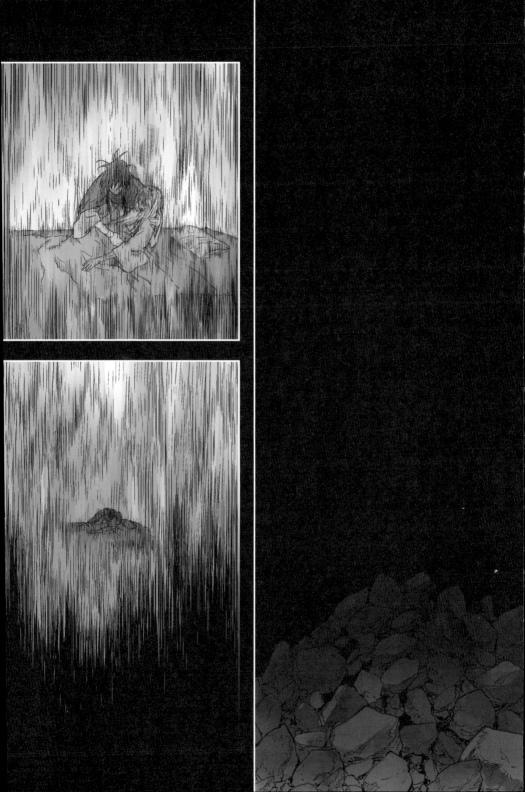

사…부님…?

으음…,

분명히…
여기 묻어드렸는데
언제 나오셨어요?

다리는 이제
괜찮으신 거예요?

258

시끄럽고….
내가 죽고 나면
여길 떠난다더니,

아직 안 가고
뭘 하고 있는 게냐,
이놈아.

…그랬나요?
기억이 안 나요.

헛소리 말고
빨리 일어나지 못할까!

귀찮아요.

그냥 여기…
있을 거예요….

내 유언을 지키지 않을 셈이냐.
이 사부를 배반한 그놈들을
그냥 둘 생각인 게냐?

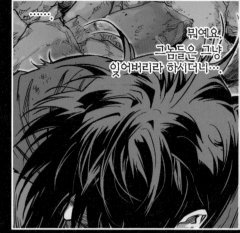

°°°°°°°

뭐예요.
그놈들은 그냥
잊어버리라 하시더니…

그거야 내가
정신이 없을 때
한 소리고.

그놈들을 그냥
둘 생각이었으면
이 사부가 왜 네게
무공을 전수했겠느냐!

°°°°°°°°

자, 자,
일어나거라, 어서.
계속 그렇게 있다간
영영 못 일어나게 돼.

에이, 참….

나중에 또
말 바꾸시면
안 돼요.

오냐, 오냐.

......

뭔가…
사부님 꿈을 꾼 것
같은데….

언니,
언니—!

뚠뚠이 떠났다구요.
안 따라가실 거예요?

에허—.
도무지 밤낮이
없구만.

일어나 보세요.
뚠뚠이 또 떠났어요.

아?

근데 쟤 도대체
어디 가는 거래니?

그래서 내가 지금까지
주욱 지나온 길을 따라
가는 방향을 유추해봤는데,

목적지가 있긴
있는 거야?

266

이대로 계속 가면,
어디 보자….

산 두 개 정도
더 넘으면
천곡산이야.

천곡산?

거기 혹시
파천문인지 뭔지
요즘 떠들썩한 애들
있는 곳 아니니?

예,
맞아요.

서쪽이군!

!

…….

쓸데없는 짓을
했군.

당신 도움 없이도
그 영감이 어느 쪽에
있는지 정도는
알 수 있어.

아아….
환술사들끼리는
어느 정도 거리 내에
들어오게 되면 서로를
인지할 수가 있거든.

곡주께서 나를
같이 보낸 것도
그 때문이지.

경고해두는데,

되도록 멀리 떨어져 있는 게 좋을 거야.

당신 목숨까지 신경 쓸 생각 없으니까!

픽··

어련하시겠어.

역시…
오는가.

끌‥

뭣?!

신선림까지 개입했다고?!

선배님도 알고 계셨던 거 아니었습니까?

빙옥선제님 모시러 갔던 녀석들 말로는 삼거리객점에 선배님도 계셨다고 하던데요?

!

가봤자 늦을 텐데.

......

그럼 지금 다들 천곡산으로 떠난 거냐?

예!

!

출발한 지 벌써 열흘 가까이 됐으니 다들 거의 도착했을 겁니다.

특히 소진홍이란 녀석은 이미 도착해서 싸우고 있을지도 모르죠!

뭐… 또 혼자
흥분해서 깝치다가
죽었을지도 모르지만.

상대가
상대니 만큼….

……

그리고 두 분
조부님들도 비슷하게
도착하실 겁니다.

소진홍이 떠나고
곧바로 두 분도
출발하셨으니…

두 분…
조부님?

그분들이
이 싸움에 직접
참전하신다고?

아, 제가 아까
말씀드렸잖습니까.
신선림도 개입했다고.

곡주님 외조부님과
용 할아버님 말입니다.

뭐?!

개입한다는 게
중재자로서가 아니라
참전자로서였단 말이야?!

그리고
그런 조건을
파천문쪽에서
받아들였다고?!

두 분의 직접적인 참여를 요청한 건 오히려 파천문 측이었습니다.

!

물론 신선림을 먼저 언급한 건 외조부님이셨죠.

놈들이 받아들이기 힘든 제안을 받아주는 대가로 신선림을 내세웠거든요.

파천문주가 그 제안에 응하기로 하면서 한 가지 조건을 더 요구했는데

두 분의 참전이 그것이었습니다.

파천문주가 직접 요청했어?

신선림 전설들의 참전을?

워!

이쯤에서
내리지?

음.

떨컹··

근처에서
적당히 놀다가
부르면 오거라.

푸르륵

배탈 나니까
아무거나
주워 먹지 말고.

푸그륵··

오우,
세상에~!

파천문주란 놈,
살기가 장난 아니구먼.

온몸이 이렇게
저릿저릿해보기는
사춘기 때 이후론
첨이야.

282

그건 그렇고…,
정말 혼자 끝낼 생각인가?
송아지 두 마리 정도면
내가 거들어줄 수도 있는데….

나이가 나이니 만큼
옛날 생각만 하고
덤벼들었다가
큰코다칠 수도 있어.

헛소리 집어치우고,

네놈은
네놈이 맡기로 한
일이나 신경 써!

파천문주란 자는
왜 그런 무모한 짓을?

도대체…

설마…
신선림 사람들을 상대로
자신의 무공이 통할 거라
생각하는 건가.

…다른 두 사람도
하루 간격을 두고 출발했으니
도착 시간이 크게 차이 나진
않을 겁니다.

어, 뭐?

아, 거참.
아까 말씀
드렸잖습니까.

곡주님과
풍진방주
도겸이라는 자
말입니다.

아.

…….

아무래도…,

소진홍이란 검사는
서쪽으로 정한 듯하군요.

그런 것 같네요.

하면 백마곡주께선
어느 쪽으로 하시겠습니까?

양보해주신다면
여기서 가까운 동쪽을
제가 맡기로 하죠!

…….

콰

콰

콰

예…. 그럼 북쪽은 제가….

모르죠, 뭐.
천곡칠살 중 한 명과
싸운 이후 지금까지 계속
나타나지 않고 있으니.

참,
용이는?

백마곡은 아직
모르고 있나?

정확히
어디로 간다고는
말하지 않았어요.

......

그렇다면…
용이는 지금
어디 있는 거야?

가령이…
외조부님?

맞군요!

역시….

두 분 할아버님,
오랜만에 뵙겠습니다.

……

강룡…?

네가 여긴
어쩐 일이냐?

두 분…이야말로
이런 곳에
무슨 일로…?

……

예?

!

멀찍이 떨어진 곳에서
더 이상 다가오지 않고
서성거리기만 하길래
변심이라도 한 줄 알았더니,

드디어
결심이 섰는가.

음?

쿡!

…….

이봐, 너….

첫 상대로
나쁘진 않군.

나는 서쪽 관문을 맡은
천검성 진유림이다.
너는 반 파천문 측에서
선별된 무인일 테지.

이름을
묻겠다!

……

소진홍.

소진홍…?

어디선가 들어본
이름인 듯한데….

이 늙은이가
키운 '암기' 중
한 명입니다.

일전에
말씀드린 적이
있습니다만….

!

감히 제령왕님의 귀진대법에
비할 바는 아니지만
소생의 방식으로 발굴한 암기 중엔
가장 출중한 자입니다.

그런가….

예….
하나,

귀진대법으로 완성된
천금성 님에 비하면
결국 모조품에 불과할
뿐입니다.

모조품은
진품을 넘어설 수
없는 법이지요!

꾸득‥

재미있군.

하면…
내가 저자에게 지면
할아범이 제령왕님을
뛰어넘는다는
의미가 되는 건가.

제령왕님의
명예를 위해서라도
손속에 인정을
둘 순 없겠군.

어쨌든…

감히 그런….
억측이십니다.

오너라,
소진홍.

할아범이 극찬한
그대의 실력을
보겠다!

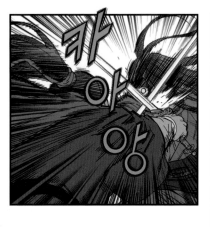

......

한 명이라더니
여러 명이네?

저자들 전부
쓰러뜨리면
여길 지나가도
되는 건가?

응?
어떻게 생각해?

……

그러는 너는 왜 혼자냐? 네 뒤를 이을 다른 사람은?

없어. 나 혼자면 충분해.

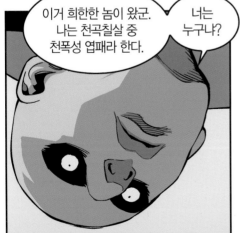

이거 희한한 놈이 왔군. 나는 천곡칠살 중 천폭성 엽패라 한다.

너는 누구냐?

대풍진방주 도겸 님이시다!

도대체…

용이는 어딜 가버린 건지…

이럴 때 같이 있었으면 좋았을 것을….

흐흥, 여인이라….

!

설마 백마곡주 진가령 님이 아니신지…?

…….

그러는 귀공은
누구신가요?

능청 떠시는군.
강호 제일 정보 집단
수장인 백마곡주라면,

이 천웅성 두춘을
못 알아볼 리
없을 텐데….

이제야 그날 밤
백마곡에서 받은
접대에 대한 보답을
해줄 수 있게 됐군.

킥‥

흥‥

얼떨결에 양보하긴 했지만 저 아이를 먼저 보내도 괜찮으려나?

이것 참….

우리가 참가한다고만 했지 순서까지 정했던 건 아니니까.

그리고 어떻게 따져봐도 우리보다는 저 아이가 먼저인 게 맞아.

그야
그렇지만….

용이가 저 혈비란 자를
감당할 수 있겠느냐 말이야,
내 말은….

……

일단 조금
두고 보지.

……. 분명 그 두 늙은이의
기를 느꼈는데
어째서 이놈이….

이제 와서 나를
우롱하려 드는 건가.

뿌드득··

대답해!

말해두지만
발뺌해도 소용없어.

음?!

젖내 나는
애송이 놈이
감히….

파천신권 응조격을
이 정도의 위력으로
구사할 만한 사람은 역시
당신밖에 없을 테지.

130화

잘했다.

그 정도면
당시 녀석들의 수준은
훌쩍 넘어섰다고
봐도 되겠어.

끼럴··

그럼
지금은요?

그자들도 수련을
계속 해오고 있다면
그 시절 수준에 머물러 있진
않을 거잖아요.

그야
그렇지.

어디 보자···.
그런 기준으로
본다면···.

으음··

거의 대등한 수준
정도··· 려나?

그…런가요?

무공으로 따져봐야 하니 환사는 논외로 하고,

막사평이란 놈은 무공보다는 잡술 따위에 집착하는 놈이니 언급할 가치도 없어.

그나마 귀영은 우직한 성격이니 수련을 게을리 하지 않았다면 지금의 너와 비슷한 수준일 게다.

하나, 혈비….

그놈이 어느 정도나 강해져 있을지는 나로서도 짐작하기 어려울 것 같구나.

놈이 가진 잠재력도 잠재력이지만,

무공 성취에 대한 그 끝없는 탐욕과 집념….

자신이 원하는 경지에 이를 수만 있다면 무슨 짓이든 서슴지 않고 저지를 아귀 같은 놈이기에…!

역시… 대단한 사람인가 보네요, 그 혈비라는 자.

사부님이 그렇게까지 높게 평가하시니….

323

높이 평가하긴
누가 높이 평가해!
그만큼 흉악한
놈이라는 소리지!

놈이 얼마나 강해지건
상관할 것 없다.
너는 내 말만 믿고
따라라!

이 사부가 장담하건대
네가 파천십이신공만
완성시킨다면,

헉!

으앗!

크음….

훅….

어린 놈이⋯.

크아아압!

！

저것이
파천신공인가…?

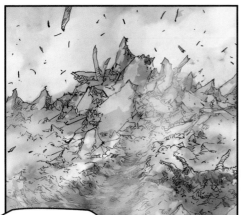

......

일부러 힘을 빼고
공격한 건 아니지만,

당신이 혈비라면
그 정도의 타격으로
죽을 리가 없다.

어설픈 속임수로
내게서 벗어날 생각이라면
소용없어!

투둑..

콰드드..

이거
실수했군…

비록
애송이라곤 해도,

네놈은 파천신군이
우릴 죽이기 위해 길러낸
최강의 암살자.

신선림의 늙은이들을 의식해
최소한의 힘으로 상대하려 한
내가 어리석었다.

이미 기경 8맥을 개방해두었다.

당신은 나를 이기지 못해.

마지막으로… 환사가 어디 있는지 알려준다면,

가급적 덜 고통스럽게 죽여주겠다!

건방진 애송이 놈!

그 미친 영감의 오만함을 그대로 물려받았구나!

쿠

쿠

쿠

쿠

11권에 계속

고수 **10**

2023년 4월 25일 초판 1쇄 발행

저자　　　　문정후 류기운

발행인　　　정동훈
편집인　　　여영아
편집책임　　최유성
편집　　　　양정희 김지용 김혜정
디자인　　　디자인플러스
본문편집　　한상희

발행처　　　(주)학산문화사
등록　　　　1995년 7월 1일
등록번호　　제3-632호
주소　　　　서울특별시 동작구 상도로 282 학산빌딩
편집부　　　02-828-8988, 8836
마케팅　　　02-828-8986

ISBN 979-11-6947-757-4
ISBN 979-11-6927-882-9(세트)

값 15,000원